Chers amis rong[illegible]
bienvenue dans le monde de

Geronimo Stilton

4
5
6
2
1
11
3
13
12
14
15
20
22
16
21
30
23
32
31
33

LA RÉDACTION DE *L'ÉCHO DU RONGEUR*

1. Clarinda Tranchette
2. Sucrette Fromagette
3. Sourine Rongeard
4. Soja Souriong
5. Quesita de la Pampa
6. Sourisia Souriette
7. Gigio Sourigo
8. Sourcette Pattoune
9. Pina Souronde
10. Honoré Tourneboulé
11. Val Kashmir
12. Traquenard Stilton
13. Farine de Muscolis
14. Zap Fougasse
15. Margarita Gingermouse
16. Sourina Sha Sha
17. Rabert Rabol
18. Ralf des Charpes
19. Téa Stilton
20. Coquillette Radar
21. Pinky Pick
22. Yaya Kashmir
23. Sourisette Von Draken
24. Chantilly Kashmir
25. Blasco Tabasco
26. Souphie Saccharine
27. Raphaël Rafondu
28. Larry Keys
29. Mac Mouse
30. Geronimo Stilton
31. Benjamin Stilton
32. Sourinaute Sourceau
33. Souvnie Sourceau

Texte de Geronimo Stilton
Illustrations de Larry Keys
Couverture de Larry Keys
Maquette de Margarita Gingermouse
Traduction de Titi Plumederat

Site Internet : **www.geronimostilton.com**

Pour l'édition originale :
© 2000 Edizioni Piemme S.P.A. Via del Carmine, 5 – 15033 Casale Monferrato (AL) – Italie
sous le titre *Tutta colpa di un caffè con panna*
Pour l'édition française :
© 2003 Albin Michel Jeunesse – 22, rue Huyghens – 75014 Paris – www.albin-michel.fr
Loi 49 956 du 16 juillet 1949 sur les publications destinées à la jeunesse
Dépôt légal : second semestre 2003
N° d'édition : 12737
ISBN : 2 226 14046 8
Imprimé en France par l'imprimerie Clerc à Saint-Amand-Montrond

Geronimo Stilton

UN GRAND CAPPUCCINO POUR GERONIMO

ALBIN MICHEL JEUNESSE

GERONIMO STILTON
SOURIS INTELLECTUELLE,
DIRECTEUR DE *L'ÉCHO DU RONGEUR*

TÉA STILTON
SPORTIVE ET DYNAMIQUE,
ENVOYÉE SPÉCIALE DE *L'ÉCHO DU RONGEUR*

TRAQUENARD STILTON
INSUPPORTABLE ET FARCEUR,
COUSIN DE GERONIMO

BENJAMIN STILTON
TENDRE ET AFFECTUEUX,
NEVEU DE GERONIMO

UN GRAND CAPPUCCINO POUR GERONIMO

Un cappuccino ? Qu'est-ce qu'un cappuccino vient faire dans cette histoire ? Attendez ! Je vais vous raconter.

Ça a commencé comme ça. Ce matin-là (comme tous les matins), je m'arrêtai au bar en bas de chez moi pour prendre mon petit déjeuner. Je mordais dans une brioche au fromage quand... quelqu'un renversa sa tasse de café crème sur la manche de ma veste.

Je me retournai, FURIBOND...

Mais je restai bouche bée, comme un idiot. Une petite souris absolument charmante se tenait devant moi : son regard passa de sa tasse VIDE à ma veste, puis, fermant à demi ses grands yeux **VIOLETS**, elle murmura :

J'avalai ma brioche de travers.

– *Gloubbb, frrrr, gnuccc...* balbutiai-je. Ma langue faisait des nœuds ! Euh, mon *Stilton* est *nom*, enfin mon *Geronimo* est *Stilton*, je veux dire *mon nom est Geronimo Stilton !*

Je voulus esquisser une révérence, mais je dérapai sur la flaque de crème fraîche et me retrouvai avec une patte enfoncée dans le porte-parapluie et l'autre dans le grille-pain chauffé au rouge. Ma queue se dressa entre les pales du VENTILATEUR. Je titubai, trébuchai, mon museau cogna sur le zinc, et deux petites bouteilles de Tabasco hyperpiquant vinrent se planter dans mes narines. Je fis le même gargouillis qu'un évier qu'on débouche. Je bondis en l'air et atterris dans les bras du barman géant, Bongo Disloque... mes moustaches collées aux siennes !

– Ça va pas, la tête ? Bas les pattes, hurla-t-il en me mordant l'oreille. Et il me catapulta au milieu

de la rue juste au moment où arrivait le tramway **17 BIS NOIR.**

Ma queue se coinça sous un rail.

Le tramway s'approchait en carillonnant…

– Scouiiiiic ! hurlai-je, désespéré.

Le fleuriste de la boutique d'à côté se précipita.

– Tenez bon, monsieur Stilton ! me lança-t-il. J'ai une idée de génie : je vais vous couper la queue d'un coup de cisailles ! Zic-*zac !* Ça ne prendra qu'une seconde ! ajouta-t-il, triomphant, en agitant dangereusement près de ma queue d'énormes cisailles de jardinier.

Je blêmis.

– Touche pas à ma queue ! criai-je. Je préfère encore que le tram me passe dessus…

Comme pour exaucer mon désir, le tram numéro 17 bis noir me tamponna la nuque.

Ma queue se coinça sous un rail…

L'ÉCHO DU RONGEUR

Je me relevai en chancelant, mais un sourire béat s'épanouissait sur mes lèvres.

Ah, j'étais heureux, hyperheureux, comme jamais je ne l'avais été… Je venais enfin de rencontrer

l'Amour !

J'arrivai au journal en planant sur un petit nuage. Vous n'êtes pas au courant ? Je dirige un quotidien, *l'Écho du rongeur*...
J'avais à peine ouvert la porte que ma sœur Téa se précipita sur moi comme une FURIE.
– Geronimooo !
Où étais-tu ? La réunion a commencé sans toi !
– Ah bon ? La réunion ? Quelle réunion ? marmonnai-je, rêveur.
Elle me regarda plus attentivement.
– Mais qu'est-ce que c'est que ces bouteilles que

tu as dans le nez ? Et dans quoi as-tu trempé la MANCHE de ta veste ? Tu es sens dessus dessous. Que t'est-il arrivé ? Tu t'es fait renverser par un tram ?

– Oui… murmurai-je. C'était merveilleux…

J'entrai dans mon bureau, mais ma sœur ne me lâchait pas d'une semelle.

– Bon, combien d'exemplaires du journal tirons-nous aujourd'hui ?

– Onze, non, douze, non, treize douzaines de roses, marmottai-je d'un air rêveur. Des roses rouges, évidemment…

– Quoi ? Téa me regarda comme si j'étais devenu fou. Que racontes-tu ? Quel rapport entre les roses et le journal ? Hein ?

RÉVEILLE-TOIII !

hurla-t-elle dans mes oreilles. Qu'est-

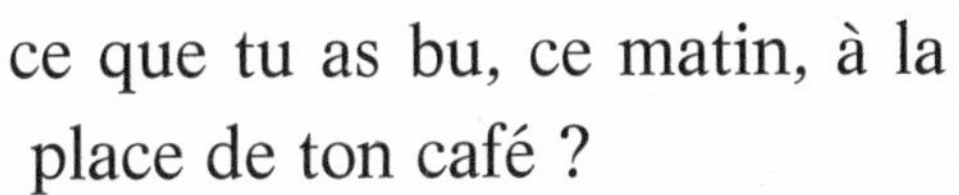

ce que tu as bu, ce matin, à la place de ton café ?

– Du café, voilà, c'est ça, du café, murmurai-je, songeur. C'est comme ça que tout a commencé. Avec une tasse de café crème...

Téa sembla réfléchir et demanda :

– Dis donc, toi, tu ne serais pas amoureux, par hasard ?

– L'AMOUR, ah oui... l'AMOUR... bredouillai-je, en effeuillant mon carnet de chèques comme si c'était une marguerite. Elle m'aime, un peu, beaucoup, passionnément, à la folie... pas du tout. Pas du tout ? m'écriai-je, horrifié, en détachant le dernier chèque.

J'effeuillai mon carnet de chèques comme si c'était une marguerite...

Téa regarda le sol jonché de chèques en secouant la tête, puis m'arracha le carnet des pattes.
– Ça suffit ! Ici, tu es dans un journal, dans une salle de rédaction. Ça te rappelle quelque chose ? Ici, on BO-SSE !!! hurla-t-elle à pleins poumons.
– Oui, bien sûr… soufflai-je, d'un ton RÊVEUR. Bien sûr… allez-y… travaillez… ne vous gênez pas pour moi.
Téa me saisit par le revers de la veste.
– *Ohé ! tu as oublié que* **le directeur de ce journal,** *c'est toi ?*
– Comme tout cela est poétique… tu as vu, Téa ? ***Directeur***, ça rime avec ***cœur***… dis-je en commençant à effeuiller un autre carnet de chèques.
C'est alors qu'on frappa à la porte.

« Imprimeur » aussi, ça rime avec « cœur »

Sourisette Von Draken, ma secrétaire, entra au pas de charge, en poussant devant elle un énorme agenda À ROULETTES.

– Monsieur Stilton ! Il faut que vous téléphoniez à l'imprimeur !

Je murmurai d'un air songeur :

– Oh, « IMPRIMEUR » aussi, ça rime avec « CŒUR »...

Sourisette souleva la couverture en ACIER MASSIF de l'énorme agenda.

– Bien bien bien... le numéro de téléphone... je l'appelle et je vous le passe, chicota-t-elle, implacable.

Sur ces entrefaites, Margarita, ma metteuse en page, une petite souris têtue au PELAGE CUIVRÉ, s'approcha en dansant le tango avec Lupin Sourion, le dessinateur.
Lupin, une souris toujours ébouriffée et à l'air éternellement distrait, marmotta :
– Directeur, je vous ai attendu pendant trois heures… Puis Margarita m'a obligé, je dis bien OBLIGÉ, à danser le tango. Je suis désolé d'avoir à vous le dire, mais tout cela n'est pas très sérieux…
– Et vous ? Vous ne croyez tout de même pas qu'on va vous prendre pour une souris sérieuse quand on vous voit avec cette rose entre les dents ! Le cours de tango est fini depuis un moment, je vous signale ! rétorquai-je.
Téa hocha la tête, en criant :
– Tu as vu ? Tu as vu ? Dès que tu as le dos tourné, c'est la révolution, ici ! On chante, on danse, on fait la FÊTE… Désormais,

je vais te ligoter à ta chaise, tu ne sortiras plus d'ici avant ce soir, que dis-je ? avant cette nuit… Une petite souris aux manières raffinées, vêtue d'un élégant et luxueux tailleur de cachemire, me tapa sur l'épaule.

– Salut, Gerry !

– Qui êtes-vous ? Que me voulez-vous ? bougonnai-je distraitement en dessinant des petits cœurs sur mon agenda.

– Comment ça, qui je suis ? Tu ne me reconnais pas ? Je suis Chantilly Kashmir, ton rédacteur en chef ! Cela fait vingt ans que nous travaillons ensemble !!! dit-elle, mi-préoccupée, mi-vexée.

Je la regardai.

– Ah bon ? Mais oui, bien sûr, ta tête m'est vaguement familière…

Puis je soupirai :

– C'est intéressant, « RÉDACTEUR » aussi, ça rime avec « CŒUR »... Ah, quel romantisme... Comme tout cela est romantique...

Mes collaborateurs étaient ébahis. Je les entendis chuchoter entre eux :

– Désespéré... Bzz, Bzzz... eh oui, scouiitt... voilà, son cas est vraiment désespéré...

Soudain, je remarquai une photo à la une de mon propre journal.

– C'est elle ! Elle ! hurlai-je.

Les yeux voilés par l'émotion, je lus la légende sous la photo :

« C'est hier qu'est arrivée en ville la comtesse Provolinda du Gruyère, fille du comte Camembert du Roquefort, petite-fille du grand-duc Brie de Reblochon. La comtesse, qui vit au Château du Fromage d'Or, *participera au grand bal de l'ambassade, samedi soir. »*

Je bécotai passionnément la photo.

– Provolinda ! Ah, Provolinda ! murmurai-je.

Ma sœur hocha la tête.

– Geronimo, ton cas est désespéré, vraiment désespéré !

TREIZE DOUZAINES DE ROSES ROUGES

Je me précipitai chez le fleuriste pour commander treize douzaines de roses rouges à très longue tige.

Le bouquet était énorme, si bien que le livreur dut louer une camionnette exprès.

J'écrivis et réécrivis plusieurs fois le billet d'accompagnement :

– *Rateuses considérations...* ou peut-être *Hommages fromagers, bons baisers et doux bisous, embrassades d'ambassade et tout le tralala* ? ou, mieux encore,

sourisément vôtre...

J'écrivis et réécrivis plusieurs fois le billet…

Le fleuriste me regardait en bâillant.

– Vous avez bientôt fini ? Vous êtes en train d'épuiser tout mon stock de cartons ! couina-t-il en montrant la montagne de billets froissés qui jonchaient le sol autour de moi.

Puis il suggéra, en expert :

– Contentez-vous du nom !

Je demandai :

– Quel nom ? Le sien ?

– Mais non, le vôtre ! Mettez simplement votre signature ! *Geronimo Stilton !* Elle doit bien savoir, elle, comment elle s'appelle, non ? éclata-t-il, impatient.

Je l'entendis murmurer entre ses dents :

– Son *cas est désespéré, vraiment désespéré !*

Je signai le billet, tout ému.

Puis je le fixai au ruban de soie écarlate qui entourait l'énorme, le gigantesque, le colossal bouquet de roses rouges.

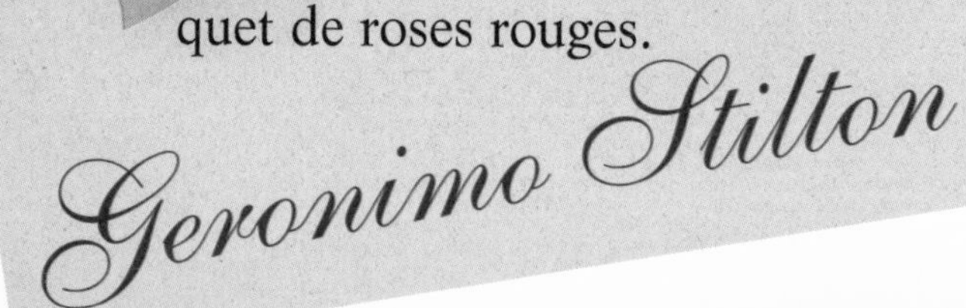

Des chocolats au fromage

Je passai toute la soirée à côté du téléphone, en espérant que Provolinda allait m'appeler pour me remercier. Mais rien de rien ! De temps en temps, j'ai honte de le dire, je SOULEVAI LE COMBINÉ pour vérifier si le téléphone fonctionnait bien.

Le lendemain, je courus chez le pâtissier pour acheter une boîte de chocolats au fromage : une boîte extra-luxe, à sept étages !

Mon cousin me tomba dessus sans crier gare…

C'est là, dans la pâtisserie, au moment où j'allais payer, que je rencontrai mon cousin Traquenard. Mon cousin, qui ignore tout de la discrétion, me tomba dessus sans crier gare.

– C'est pour qui, ces chocolats ? s'exclama-t-il en PIOCHANT dans la boîte un chocolat au roquefort dont il ne fit qu'une bouchée.

– Arrête ! hurlai-je.

Trop tard : Traquenard retournait la boîte de fond en comble.

– Quel luxe ! Il y a combien d'étages ? Cinq, six, sept ? cria-t-il, tandis que j'allais éclater en sanglots.

– Tu ne vois donc pas que tu as SACCAGÉ toute la boîte ? C'était pour un cadeau ! protestai-je.

– Au fait, tu sais que, dans un mois, c'est mon ANNIVERSAIRE ? Tu peux m'en offrir une comme ça, ça me fera très plaisir ! marmonnait-il, la

bouche pleine, attrapant les chocolats et les faisant

SAUTER DANS SA BOUCHE.

– Donnez-moi donc une autre boîte, déjà fermée, dis-je à la vendeuse en soupirant.
Traquenard me remercia, la bouche pleine :
– Geronimo, quelle *exquise* intention…
Puis il me donna un coup de coude :
– Au fait, Téa m'a appris que tu avais une fiancée. Un conseil : *ne sois pas tout le temps sur son dos !*

UN NUAGE DE DENTELLE

Ce soir-là, encore, je passai de longues heures près du téléphone, attendant que Provolinda m'appelle. Comme la veille, toutes les cinq minutes, je soulevais le combiné pour vérifier si le téléphone fonctionnait.

Elle n'appela **PAS**. Elle n'appela **PAS**... Elle n'appela **PAS** !

J'étais effondré !

Plus tard, je fis le guet devant son hôtel. Comme je n'osais pas l'attendre juste à la porte, je me cachai dans un COIN sombre pour surveiller les allées et venues. Soudain, quelqu'un posa sa patte sur mon épaule.

– Scouiiiic ! hurlai-je en bondissant. Je me retournai et découvris Benjamin, mon neveu préféré.

– Oncle Geronimo ! Que fais-tu ici ?

C'est alors que je *la* vis sortir.

– Chut ! tais-toi, mon neveu ! chuchotai-je, puis je sortis de l'ombre en affichant l'air le plus naturel du monde. *Elle* regarda dans ma direction, mais ne parut pas remarquer ma présence.

À ce moment, elle fit tomber quelque chose.
C'était un petit mouchoir, un nuage de dentelle parfumé à la rose et sur lequel étaient brodées ses initiales.
Je me précipitai pour le ramasser et balbutiai :
– Mademoiselle, euh... c'est moi... celui du camé crêfe, enfin... des rosses rousses, euh... celui des chocalots, bref, c'est moi, *Gilton, Steronimo Gilton !*
Elle me dévisagea avec des yeux tout ronds et murmura :
– Oh !

Je lui tendis son mouchoir, esquissai une révérence, mais perdis l'équilibre et roulai jusqu'en bas de l'escalier au moment même où passait la tondeuse à gazon de l'hôtel, qui me rasa le pelage à zéro. Je me relevai, tourneboulé, et me retrouvai devant l'énorme silhouette d'un rouleau compresseur, qui, dans un grand bruit DE FREIN s'arrêta juste sur mes orteils !

– Scouiiiiiiiiit ! hurlai-je.

Au même instant, une voiture de sport s'arrêta devant l'hôtel. Une souris **vêtue d'un smoking** en sortit. *Il* gravit les marches quatre à quatre et fit le baise patte à *ma* bien-aimée.

– *Provolinda !* On n'attend plus que toi au grand bal de l'ambassade ! chicota-t-il, cérémonieux.

Et les deux souris disparurent dans la nuit.

IL NE FALLAIT PAS ÊTRE TOUT LE TEMPS SUR SON DOS !

Le lendemain, je me traînai lamentablement jusqu'au bureau pour me changer les idées.

D'un coup d'œil, Téa devina la situation.

– Je te l'avais bien dit qu'*il ne fallait pas être tout le temps sur son dos...*

Je dessinai ici et là des PETITS CŒURS BRISÉS en sanglotant bruyamment.

– Monsieur Stilton ! cria Sourisette en m'arrachant contrats et factures, vos LARMES vont détremper les papiers.

À ce moment entra Traquenard, qui me considéra d'un air critique.

– *Il ne fallait pas être tout le temps sur son dos...* Ça s'est mal passé, n'est-ce pas ? Elle n'était pas ton genre, de toute façon.

Puis il ricana :

– Mais est-ce que ça existe, ton genre ? Bof...

Benjamin entra à son tour, portant une pile de journaux.

– Tonton, tu t'y es peut-être mal pris, il ne fallait pas être tout le temps sur son dos...

– Ça suffiiiiit ! criai-je, en proie à une véritable crise de nerfs. Je ne veux plus entendre dire qu'il ne fallait pas que je sois tout le temps sur son dos !

Puis je posai les coudes sur mon bureau, enfouis mon museau entre mes pattes et versai toutes les LARMES qu'une souris peut contenir.

GROUNF ! SGROUNFFF !!

Ce soir-là, je rentrai chez moi à bout de forces. Je m'écroulai sur mon fauteuil devant la télévision. J'avais le moral plus bas que la semelle de mes chaussures. Je décidai d'avoir à portée de la main une boîte de mouchoirs en papier : je savais que j'allais en avoir besoin. Tandis que je zappais distraitement, j'entendis sonner à la porte.

– Qui est-ce ? balbutiai-je. On ne pouvait donc pas me laisser souffrir en paix ? La personne insistait. Je traînai

mes pantoufles jusqu'à la porte et ouvris.
– Salut, Geronimo ! couinèrent en chœur Téa, Traquenard et Benjamin.
– Ah… c'est vous… marmonnai-je.
Traquenard, vif comme l'éclair, glissa la patte dans l'entrebâillement de la porte pour m'empêcher de la refermer.
– Cousin, nous avons pensé qu'une petite visite te remonterait le moral ! C'est à ça que sert la famille, non ? cria-t-il, avec un grand sourire.
– Grounfff ! grognai-je en guise de réponse.
Téa intervint :
– Allez, frérot, tu as une mine de CHAT fâché ! Pour te remonter le moral, on t'a préparé une chouette surprise…
Elle déplia sous mon museau un article paru dans le journal concurrent, *la Gazette du rat*, et intitulé : « **La Huitième Merveille du monde** ».

Traquenard lut à haute voix :
« On a retrouvé, dans la bibliothèque de Sourisia, un manuscrit datant du XIX*e* *siècle, dans lequel le fameux explorateur Souringstone fait le récit de son expédition sur l'île Papillon, à la recherche de la mythique vallée des Fromages volants, que des documents plus anciens présentent comme la Huitième Merveille du monde. Nombreux sont ceux qui se sont lancés dans l'aventure, mais personne n'a réussi à découvrir l'entrée secrète de la vallée, pas même le grand Souringstone... »*
Pas à pas, je regagnai péniblement mon fauteuil et, d'un air las, murmurai :
– Et alors ?
Mon cousin me lança un regard de pitié.
– Tu n'as pas compris ? Cette vallée des Fromages volants, nous allons la retrouver, nous, et nous serons célèbres !

Je M'AFFALAI dans mon fauteuil et marmonnai, sur un ton déprimé :

– Non, merci, chers amis, je vous remercie de tout cœur d'avoir pensé à moi, mais, pour le moment, je n'en ai pas envie, pourtant vous savez que, dans d'autres circonstances, je vous aurais volontiers accompagnés, en tout cas que je n'aurais pas opposé une résistance trop forte, mais je traverse une période vraiment…

Découragés, ils s'en allèrent penauds, la queue baissée.

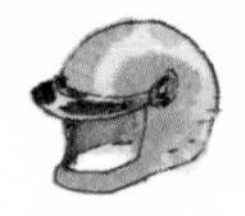

ACCROCHE-TOI !

Téa entra dans mon bureau et referma la porte d'un air MYSTÉRIEUX.

– Je connais la solution à tous tes problèmes... As-tu confiance en moi ?

– Non ! eus-je la force de lui répondre, malgré mon désespoir.

Elle soupira.

– Ne fais pas le difficile. Viens avec moi !

– Dis-moi au moins où tu m'emmènes ! dis-je.

– Je ne peux rien te dire. C'est un secret !

Nous sortîmes.

Téa me fit monter sur sa moto (je ne vous l'avais pas dit ? Ma sœur a la passion, ou plutôt la ma-

nie, des motocyclettes). Elle cria, d'un air enjoué :
– Et c'est parti !

ACCROOOOOOOOOOoCHE-TOI !

Quand je sentis qu'elle accélérait, je fermai les yeux (la vitesse me terrifie). Je ne les rouvris que quand je fus bien sûr que nous étions arrivés. Nous nous trouvions dans une ruelle sombre, où régnait une forte odeur de pipi de chat.
Ma sœur me poussa sous une petite porte.
– Monte l'escalier. C'est au dixième étage sans ascenseur... Je t'attends ici ! ricana-t-elle.

MADAME L'AMOUR

J'atteignis le dixième étage tout essoufflé.
Mon cœur cognait follement dans ma poitrine, mais j'ignorais si c'était à cause des dix étages ou de l'émotion...
Sur la porte était vissée une plaque gravée au nom de

Soudain, tout devint clair : ma sœur m'avait envoyé chez une voyante... une chiromancienne... une sorcière !

Moi, je ne crois pas à ces trucs-là, et je ne veux pas entendre parler de magie.
J'allais rebrousser chemin et redescendre quand la porte s'ouvrit en grinçant.
J'entrevis une pièce POUSSIÉREUSE, qui sentait l'encens et les parfums orientaux.
– Entre, sussura une petite voix, je t'attendais…
Bizarre, j'aurais parié que cette voix me rappelait quelqu'un.
La petite voix murmura :
– Je vois des initiales… un P ? un G brodés… peut-être… sur un mouchoir ? Un petit mouchoir parfumé à la rose…
Je restai sur le seuil, pétrifié.
Dans un coin, au fond de la pièce, je devinai une étrange silhouette, qui portait une robe lui descendant jusqu'aux pieds.

La voyante découvrit une boule de cristal…

Elle avait jeté sur ses épaules un foulard où était brodée la phrase *Le mystère, c'est mon métier*. Une longue écharpe de soie rouge **PÂLE** lui enveloppait la tête. Je ne vis pas son museau, car, dès que je m'approchai, elle le couvrit avec une patte.

La voyante s'assit dans un fauteuil tapissé de velours broché et me désigna une chaise. Puis, avec un geste de prestidigitateur, elle découvrit une boule de **CRISTAL**.

Elle alluma un bâton d'encens, l'agita sous mon nez jusqu'à ce que j'éternue, et murmura, d'une petite voix mielleuse :

– Alors, beau jeune homme, c'est une histoire d'amour qui vous a conduit ici, n'est-ce pas ? Il se trouve que c'est ma spécialité...

Je regardai autour de moi : quel idiot j'avais été de me laisser emmener ici !

J'allais me lever pour partir quand elle souffla :

– Je vois des roses… beaucoup de roses, un plein camion… et des chocolats… plein de chocolats au fromage… très bons, excellents ! Sept étages ?
Mon sang se GELA dans mes veines.
Et si la voyante avait vraiment des pouvoirs magiques ?
Elle ricana, satisfaite de l'effet qu'avaient eu ses paroles, et elle poursuivit :
– Les roses ne suffisent pas, les chocolats ne suffisent pas. Il faut bien plus pour attirer l'attention de cette *sourissotte*…
– *Sourissotte ?* murmurai-je, surpris.
De nouveau, j'eus l'impression que cette voyante me rappelait quelqu'un de TRÈÈÈS familier.
– Euh, cette JOLIE PETITE SOURIS… se corrigea-t-elle aussitôt.
Puis, caressant la boule de cristal, elle reprit :
– Je vois… je vois un cœur brisé… mais il y aurait un moyen… un moyen de la conquérir !

Un espoir fou me fit battre le cœur.

– Es-tu prêt à tout pour la faire tomber à tes pieds ?

Je criai :

– Oui ! Oui ! Tout, n'importe quoi !

Elle tortilla ses moustaches et ricana d'un air rusé :

– Alors, il faut absolument que tu accomplisses quelque chose d'extraordinaire, un exploit impossible, que tu relèves un défi qu'aucune souris saine d'esprit, hé hé hééé, n'accepterait. Tu dois devenir célèbre, tu comprends, et comme ça elle te remarquera !

Je bredouillai, désemparé :

– Un exploit ? Mais je suis une souris insignifiante… Je suis éditeur… pas EXPLORATEUR…

Elle secoua la tête.

– Pourtant, continua-t-elle, cajoleuse, je vois qu'on t'a fait une proposition (je ne sais qui, je ne vois pas bien, mais j'en ai le pressentiment, je sens que tu peux avoir confiance) – et elle astiqua la boule avec un mouchoir graisseux. Je disais donc que certains rongeurs très courageux t'ont proposé de partir pour une expédition ! Ce sera un énorme succès ! enchaîna-t-elle. Pourquoi, hein, dis-moi **pourquoi** tu n'as pas accepté ? **Pourquoi** – et elle haussa le ton –, dis-moi donc **pourquoi, pourquoi** tu n'as pas accepté ?

Je balbutiai :

– Euh, oui, alors, d'après vous... je devrais accepter ?

Elle cria, d'une voix de fausset :

– Mais bien sûr ! Évidemment, nigaud de souriceau ! Rentre chez toi au pas de course, boucle ta valise et file, j'espère qu'il n'est pas trop tard !

Très agité, je me levai pour partir.

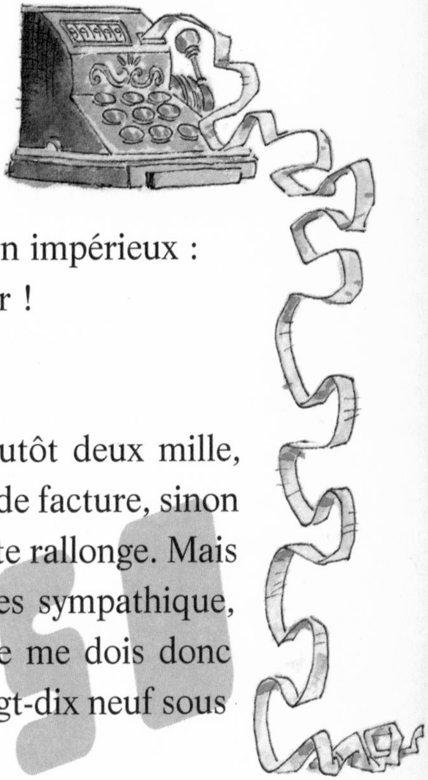

– Mais, euh, vous êtes sûre que ça marchera ?
– Aie confiance en Madame l'Amour, ricana-t-elle. Puis elle ajouta, d'un ton impérieux :
– Ça fait deux cents, mon cher !
Je rebalbutiai :
– Deux, deux quoi ?
– Non, railla-t-elle. Ça fait plutôt deux mille, très cher ! Et ne demande pas de facture, sinon je devrais te réclamer une petite rallonge. Mais comme c'est toi et que tu m'es sympathique, je vais te faire un prix : tu ne me dois donc que mille neuf cent quatre-vingt-dix neuf sous et cinquante centimes.
Comme en rêve, je sortis mon portefeuille et déposai les billets sur la table : elle les rafla d'UNE PATTE BOUDINÉE au petit doigt de laquelle luisait un gros rubis.

Je me dirigeai vers la porte. J'étais déjà dans l'escalier quand j'entendis une voix crier :

– Et surtout ne sois pas toujours sur son dos !

« J'ai déjà entendu cette phrase quelque part ! » pensai-je, mais je n'eus pas le temps de réfléchir davantage, car une patte s'abattit rudement sur mon épaule : c'était Téa.

– Alors, comment ça s'est passé ? demanda-t-elle en ricanant sous ses moustaches.

– Tu avais raison, la voyante savait tout de moi, tout ! Et elle m'a conseillé… euh… de partir avec vous…

Téa se montra surprise.

– *Oooooh,* vraiment ? *Vraimeeeent ?* Tu te rends compte, ça alors…

Puis elle me fit remonter sur sa moto.

– OK, l'avion décolle dans dix minutes…

On paaart !

Nous arrivâmes à l'aéroport (Téa ne m'avait même pas permis de passer faire mes valises à la maison, par peur, peut-être, que je change d'avis). Benjamin nous attendait. Traquenard, lui, nous rejoignit au bout d'un moment, tout ESSOUFFLÉ.

– Hé hé hééé, vous n'aviez quand même pas l'intention de partir sans moi ?

Téa donnait déjà des ordres aux mécaniciens :

– Eh, vous ! Sortez mon avion du hangar… Celui-là, au fond, oui, celui à *fleurs* ! Vous avez déjà fait le plein ? Nooon ? Qu'est-ce que vous attendez ?

Je murmurai nerveusement :

– Euh, tu ne vas tout de même pas piloter toi-même ?

Ma sœur fut vexée.

– Tu n'as pas confiance ? Avoue ! Tout ça parce que je suis une fille !

Puis elle poursuivit :

– Tu sais, j'ai remporté les championnats d'acrobatie aérienne l'an dernier.

Cependant, elle saluait ses amis à droite et à gauche :

– Comment ça va, Deltius ? Eh, mais c'est ce bon vieux Paraplane !

– Ma parole, tu connais tout le monde ! marmonnai-je.

Elle ajusta son écharpe d'aviatrice en soie blanche et me fit un clin d'œil, d'un air espiègle.

– Eh oui, j'ai beaucoup d'admirateurs ici… murmura-t-elle d'une voix cajoleuse.

Une souris en tenue de parachutiste bredouilla :

– Téa ! C'est bien toi ? Euh… ça te dirait… ça te dirait de faire un saut avec moi ?

Elle ricana en battant des cils et en fermant à demi ses grands yeux :

– Merci, mon chou, mais pas aujourd'hui. Une autre fois…

Le parachutiste me lança un regard haineux : il m'avait pris pour le fiancé de Téa.

Nous nous éloignâmes, et Téa chuchota :
– Tu as vu, c'est comme ça qu'il faut s'y prendre : il faut les faire souffrir…
Au même moment, une patte se posa sur mon épaule, et une petite voix câline me susurra à l'oreille :
– Mon Gerominou, c'est moi… Provolinda !
Mon cœur se mit à BATTRE la chamade : je me retournai, tout ému… mais ce n'était que Traquenard, qui me bécota le museau.
– Hé hé hééé ! ricana-t-il. Sacré Gery, je t'ai bien eu, hein ! D'ailleurs, tu te fais toujours avoir !

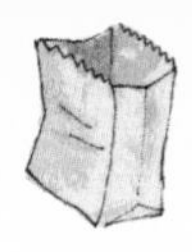

JE NE ME SENS PAS BIEN DU TOUT

– Tango Echo Alfa, prêt au décollage… couina Téa dans le micro. Les roues de l'avion se détachèrent de la terre, l'appareil ronronna comme un chat, puis vira en direction du nord.
J'avais tellement peur que j'avais planté mes ONGLES dans les accoudoirs du fauteuil. Traquenard demanda, sceptique :
– Dis donc, cousine, ça fait longtemps que tu as ton brevet de pilote ? Deux jours, trois jours, une semaine ? Et c'est vrai que tu sais faire des acrobaties ?
Blessée dans son orgueil de pilote, Téa rugit :
– Comment oses-tu ? Elle tira le manche à balai, et l'avion se mit à tomber en vrille.

Traquenard s'exclama :

– C'EST TOUT ? CE N'EST PAS GRAND-CHOSE !

– Stop, pitié ! murmurai-je.

– Looping, tonneau, boucle de la mort… hurlait Téa en enchaînant les manœuvres.

– Je ne me sens pas bien du tout, soufflai-je, d'une toute petite petite voix.

– Ne me salis pas l'avion ! marmonna ma sœur. Et, me désignant un sachet de papier : Tiens, si tu as des problèmes d'estomac, utilise donc ce sachet.

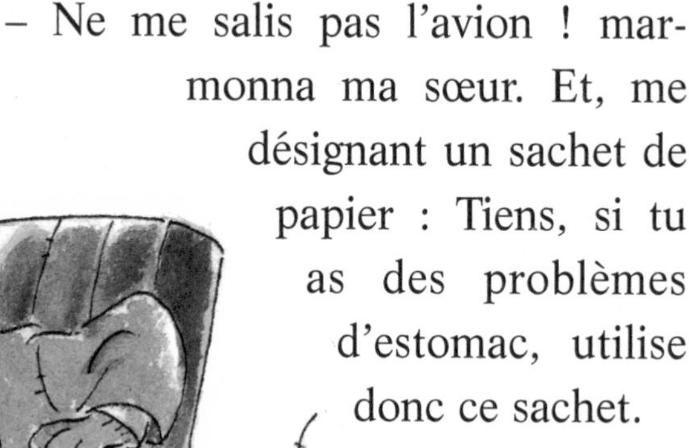

Derrière moi, j'entendis Traquenard, ce vantard, qui chicotait :

– Mouais, ça, excuse-moi, je sais le faire. Tu veux que je te montre, hein, tu veux ?

– NooOOon, assez ! suppliai-je, en sortant le museau de mon sachet.

– Et maintenant, le grand final : la super boucle de la mort ! couina Téa, surexcitée.

L'avion s'enroula sur lui-même, je le jure sur les moustaches frisées de mon grand-père, au moins sept fois !!!

– Au secOurs !!! criai-je

– YOUPI ! hurla ma sœur, puis elle remit les gaz et l'avion reprit la position horizontale.

J'entendis Traquenard murmurer derrière moi :

– Bof, un enfant en ferait autant ! – mais il avait la mine un peu pâle.

Ce sont les derniers mots que j'entendis avant de m'évanouir. Ils me ranimèrent en me faisant respirer une croûte de fromage puante.

Je revins à moi en balbutiant :

– Je... je t'interdis de recommencer...

– Promis, promis, je ne le ferai plus... De toute façon, on est arrivé, marmotta Téa.

– Arrivé ? Vraiment ? murmurai-je, incrédule.

Et Téa posa l'avion en douceur sur la piste d'atterrissage.

VOYAGES SAUVAGES

Une souris en bikini nous attendait à la descente de l'avion : elle nous accrocha au cou une guirlande de fleurs parfumées.

– Bienvenue dans l'archipel Fleuri ! chantonna-t-elle avec le doux accent des îles.

Devant l'aéroport, je vis une jeep sur laquelle il était inscrit VOYAGES SAUVAGES.

Il me vint un doute terrible : ne serait-elle pas là pour nous ?

– Non, je ne veux pas monter là-dedans, je voudrais d'abord souffler un peu… implorai-je.

On me poussa de force dans la jeep. Téa prit place au volant, passa la première et enfonça le pied sur l'accélérateur. La jeep bondit en rugissant et démarra sur les CHAPEAUX DE ROUE.

Le voyage dura des heures, qui me parurent interminables.

Enfin, la voiture s'immobilisa dans un dernier sursaut.

Je rassemblai mes forces et me laissai glisser au bas du véhicule. Je découvris avec horreur que nous étions dans un port. Téa sauta sur un hors-bord à la proue effilée comme la **MINE D'UN CRAYON** et me fit signe de la rejoindre.

Je me butai.

– Pas question que je monte là-dedans ! hurlai-je.

Traquenard me pinça la queue en criant :

– Geronimo, regarde ! Regarde ! Un morceau de fromage volant !

Mon attention fut distraite une fraction de seconde…

Il en profita pour me pousser dans le hors-bord.

Vite, Téa largua les amarres et, en un instant, nous nous éloignâmes du quai.

– À l'aide ! C'est un enlèvement ! criai-je, terrorisé.

Puis j'eus un doute effroyable.

– Mais… qui va piloter ? demandai-je.

– Moi, bien sûr ! lança Téa en attachant sa ceinture de sécurité. Prochaine escale : l'île Papillon ! Accroche-toi, frérot, on va s'éclater !

LES DIX ÉTAPES DU MAL DE MER

1. *au port…*

Je ne sais pas si vous avez déjà eu le mal de mer : moi, si.
Je suis malade en bateau, en voiture, en avion. D'abord j'ai les oreilles qui bourdonnent, puis je ne peux pas me retenir de bâiller, après quoi je commence à loucher, enfin j'ai la nausée et je passe par toutes les couleurs de l'arc-en-ciel, du bon gris souris aux teintes les plus invraisem-

2. *sur l'embarcadère…*

3. *sur l'échelle…*

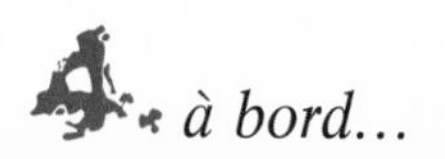

4. *à bord…*

5. *en sortant du port…*

blablables, pour finir blanc comme un camembert.
Quand nous abordâmes l'île Papillon, il fallut me débarquer en me portant par les pattes.
– Je ne veux plus monter dans aucun avion, bateau ou voiture… criai-je.
Téa me regarda d'un air faussement innocent.
– Bien sûr que non !
– Hummm… plus d'avions ?
– NOOON !
– Plus de bateaux ?
– NOOON !
– Plus de voitures ? D'aucune sorte ? enquêtai-je, soupçonneux.

10. *tempête…*

9. *mer démontée…*

8. *tangage…*

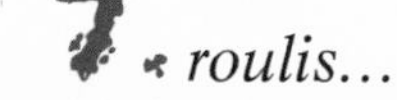

7. *roulis…*

6. *en pleine mer…*

– Nooon…
– Hummm… pas de trains ??? insistai-je.
– DES TRAINS ? Allons donc ! Où vas-tu chercher tout cela ?
– Bon, je te prie de m’excuser si je me suis montré un peu méfiant…
– Mais c’est bien naturel… dit ma sœur, grande dame.
– Bon, poursuivis-je D’EXCELLENTE HUMEUR, que fait-on maintenant ? Où va-t-on ? Où se trouve CETTE VALLÉE DES FROMAGES VOLANTS ?
– Oh, dans le coin, répondit-elle en restant dans le vague.
Comme je n’avais pas confiance, je dépliai la carte. Je fus tout de suite frappé par l’étrange forme de cette île, qui ressemblait à un énorme papillon aux ailes déployées. Ce n’était donc pas une hallucination : l’île que j’avais vue d’avion, entre deux acrobaties, avait vraiment la forme d’un papillon !

Ce n'était donc pas une hallucination…

Puis je jetai un coup d'œil autour de moi et découvris que la végétation était **épaisse, touffue, tentaculaire** : ce vert intense, absolu, me frappa les yeux.
Soudain, je fus gagné par la sensation qu'il y avait quelque chose d'étrange… mais je ne savais pas ce que c'était.
Je compris au bout d'un moment.
Il n'y avait pas trace de rongeur sur l'île, qui semblait inhabitée : on n'entendait pas même le bourdonnement d'un insecte ou le gazouillis d'un oiseau.
Le silence était total, bizarre, inquiétant.
Je sentis un frisson courir le long de ma queue.
Où donc m'avaient-ils emmené ?

EN ROUTE !

Traquenard jonglait avec une montagne de cartes et de plans. Il avait l'air très pro. Mon cousin prit la tête de notre petite expédition et cria d'un ton solennel :

– SUI-VEZ-MOI !

Nous partîmes.

Nous marchâmes pendant une heure, deux heures, trois heures…

Le soleil commença à baisser sur l'horizon. Cela faisait cinq heures que nous marchions. L'obscurité s'installait.

Je **suppliai** que l'on s'arrête pour se reposer un peu, mais Traquenard dit que nous étions presque arrivés et qu'il valait mieux ne pas s'arrêter.

J'avais des ampoules aux pattes, j'avais l'impression de transporter un fromage de **CENT KILOS** dans mon sac à dos.

Il faisait nuit noire quand je commençai à avoir un horrible soupçon.

J'allongeai le pas et rejoignis mon cousin.

– Traquenard, euh, tu sais où nous allons, j'imagine...

– Bien sûr ! Nous allons droit devant, toujours droit devant ! couina mon cousin.

Je réfléchis un instant.
– Oui, je comprends que nous avançons, mais où allons-nous ?
– DROIT DEVANT ! Toujours droit devant ! Le devant, c'est le devant, non ? ricana-t-il, comme si rien n'était plus évident.
J'en fis une CRISE DE NERFS et hurlai :
– Ça suffit maintenant ! Je veux savoir où nous sommes et où nous allons !
Ma sœur nous avait rejoints en douce et écoutait attentivement.
Mon cousin agita la patte et dit, d'un ton vague :
– Eh bien, nous nous trouvons exactement ici, voilà, ou environ, pour ainsi dire au beau milieu d'une forêt, tu ne vois pas tous ces arbres qui nous entourent ? Quant à la mer, ou la plage, enfin, la côte, elle se trouve plus ou moins dans notre dos, et si nous continuons tout droit (dans cette direction ou dans une autre), tôt ou tard, je peux le dire avec certitude, nous finirons par arriver quelque part.

C'EST CLAIR ? C'EST CLAIR ? C'EST CLAIR ? C'EST CLAIR ?

Ma sœur s’écria :

– Quoi ? Quoiiii ? Tu ne sais pas où nous sommes ? Tu ne sais pas où nous allons ?

Et ils se jetèrent l’un sur l’autre.

MA PETITE MOZZARELLA...

Nous décidâmes d'installer notre campement pour la nuit à l'abri d'une paroi rocheuse.

J'étais épuisé et, dès que le feu de camp se fut éteint, je fermai les yeux et sombrai dans un sommeil profond, **TRÈS PROFOND**.

Je rêvai... je rêvai que j'étais à genoux devant Provolinda.

– Ma petite mozzarella, ma lichette de gruyère, oh, je suis fou de toi !

Provolinda souriait.

– Oh ! Geronimo, tu es vraiment une souris merveilleuse ! Jamais je n'ai rencontré un rongeur aussi fascinant... chicotait-elle, charmeuse.

– Provolinda, mon adorée, veux-tu m'épouser ?

Elle eut un sourire tendre.
Elle allait me répondre… quand, soudain, hélas, je me réveillai.
Quelqu'un me secouait l'épaule.
– Qu'est-ce que c'est ? Laissez-moi tranquille ! marmonnai-je.
C'était Benjamin, qui murmura :
– CHUUUT, tonton, lève-toi et suis-moi. Viens voir. Mais ne fais pas de bruit !

LA HUITIÈME MERVEILLE

Benjamin me prit par la patte et me désigna un papillon qui voletait de-ci de-là.

Je l'examinai attentivement.

Il était jaune et CRIBLÉ DE TROUS, comme un morceau de gruyère !

– Regarde, Benjamin ! C'est extraordinaire ! Je n'ai jamais vu un papillon pareil ! murmurai-je, très ému. Peut-être vient-il de la mystérieuse vallée, la vallée des Fromages volants !

– Chuuut ! souffla Benjamin en me faisant signe de me taire.

Le papillon voleta devant nous, comme pour nous inviter à le suivre.

Au bout d'un moment, il sembla disparaître.
Nous nous demandâmes où il avait bien pu passer.
Nous le revîmes peu après : il s'était glissé dans une étroite fissure de la roche.
Le papillon revint voleter autour de nous et se glissa de nouveau dans la fente.
Poussés par la curiosité, nous le suivîmes sans hésiter…

On ne voit pas la pointe de ses moustaches...

Un chemin s'enfonçait dans la roche.
La nuit nous enveloppait, une obscurité inquiétante et vaguement sinistre, si dense qu'on aurait pu la couper au couteau. Dans le silence épais comme de la mélasse, des gouttes d'eau se détachaient de la paroi et allaient s'écraser par terre avec un grondement lugubre.
L'écho répétait tout ce que nous disions.
– Où es-tu, tonton ? murmura Benjamin.
– Là, devant ton museau ! chuchotai-je. Tiens-moi par la queue, mon neveu. Ne nous perdons pas ! Ici, on ne voit pas la pointe de ses moustaches... marmonnai-je.
Soudain, je m'aperçus que, du fond de l'obscurité, deux yeux jaunes nous fixaient.

Les ailes brillaient dans le noir…

– Scouiiiiitt ! hurlai-je.

Scouiiiiittttttttt !!!!!!!!!!

L'écho renvoya mon cri, terrifiant, et mon **SANG** se glaça dans mes veines.

Benjamin murmura :

– N'aie pas peur, tonton, ce ne sont pas des yeux ! Ce sont les ailes du papillon…

Je scrutai l'obscurité : il avait raison.

Les ailes brillaient dans le noir : elles étaient phosphorescentes !

Puis nous remarquâmes qu'elles semblaient rapetisser : le papillon s'éloignait.

Nous hâtâmes le pas : j'aurais suivi le papillon n'importe où pour ne pas rester dans cette caverne obscure, les yeux écarquillés comme un hibou. Mais où nous emmenait-il ?

J'AI PEUR DU NOIR !

Le sentier se resserrait de plus en plus. Il avait vaguement la forme d'un morceau de fromage… Au fond s'ouvrait un petit **TROU** dans lequel le papillon disparut.
J'essayai de le suivre, mais le trou était trop étroit pour moi. J'étais coincé : je ne pouvais ni avancer ni reculer, mais Benjamin me dégagea en me tirant par la queue.
– Essaie, toi, suggérai-je, découragé.
Benjamin se baissa.
– Oui, je crois que je passe. J'y vais, tonton, et je te raconterai !
Soudain, une pensée traversa mon esprit.

– Par mille mimolettes, je n'ai pas pris mon appareil photo !
Benjamin sourit.
– Moi, j'y ai pensé, tonton ! Le voici !
Je poussai un soupir de soulagement. Ah, mon neveu : quel bonheur, ce rongeur !
Benjamin se glissa précautionneusement dans le trou, puis je l'entendis murmurer :

– NE T'INQUIÈTE PAS POUR MOI, TONTON ! TOUT VA TRÈS BIEN !

Je m'assis pour attendre. Hélas, nom d'un fromage de chèvre, j'avais oublié ma

montre au campement, et je n'avais pas la moindre idée du temps qui s'écoulait.
J'attendis pendant des minutes, pendant des heures qui parurent interminables.
Je n'osais pas retourner sur mes pas, mais je n'en pouvais plus de patienter !
De temps en temps, je m'approchais du trou et couinais :
– Ben...

BENJAMIN !
BENJAMIN !!!
BENJAMIN !!!
BENJAMIN !!!

Puis je marmonnais pour moi-même, anxieusement :
– Je ne veux pas rester seul... J'ai peur du noir !

Au revoir, papillon !

Enfin, j'entendis un bruissement : Benjamin était de retour. Il se faufila par l'ouverture et, à tâtons, se rapprocha de moi. Je l'embrassai affectueusement.

– Oh, mon petit chéri, j'étais tellement inquiet pour toi ! Euh, et pour moi aussi...

Benjamin était surexcité comme une potée de souris. Il sautillait çà et là en criant :

– Tonton, tonton, tontoooon ! Tu ne peux pas imaginer ce que j'ai vu ! La Huitième Merveille, la vallée des Fromages volants ! C'est beau, c'est magnifique, c'est magique ! **Dommage que tu n'aies pas vu ça...**

J'en avais les pattes tremblantes d'émotion.

– Par mille mimolettes, je suis fier de toi ! Et je

comprends pourquoi personne n'avait jamais réussi à trouver l'entrée de la vallée... Seule une toute petite souris comme toi pouvait passer par cette ouverture très étroite ! Sans ton aide, nous n'aurions jamais trouvé la Huitième Merveille ! Mais, dis-moi, tu as pris des photos, hein ?

BENJAMIN SE PAVANA.

– Bien sûr, mon petit tonton, je sais me servir de l'appareil !

Puis il enfonça sa casquette rouge sur la tête et, s'approchant de l'ouverture, fit un signe de salut en couinant :

– Au revoir, papillon, et merci ! Je ne te vois pas, mais j'espère que tu m'as entendu !

Nous nous dirigeâmes vers la sortie, mais, soudain, la caverne se mit à TREMBLER. Dans un grondement de tonnerre, les parois rocheuses vibrèrent, et nous tombâmes à la renverse.

– Un éboulement ! Vite, courons si nous ne voulons pas rester coincés !

De gros blocs de pierre se détachaient du plafond et s'écrasaient tout autour de nous : un énorme rocher roula devant la fissure qui donnait accès à la vallée et la boucha. Un autre atterrit juste à côté de nous. Benjamin avait été touché et s'effondra, évanoui.

Je le soulevai, le mis sur mes épaules et me dirigeai à grand-peine vers la sortie. Je sortais juste de la caverne quand une dernière averse de cailloux en ferma l'entrée.

– PFIOUUUUU ! Il s'en est fallu d'un poil de moustache ! murmurai-je.

Benjamin ouvrit enfin les yeux.

– Tonton, tonton Geronimo, oh, merci, tu m'as sauvé la vie... Tu es un héros !

– Allons donc, ce n'est rien... dis-je, modeste. Raconte-moi plutôt ce que tu as vu dans la vallée des Fromages volants... Mes poils se hérissent de curiosité !

– Sois patient, tonton ! Retournons d'abord au campement : à l'heure qu'il est, tante Téa et cousin Traquenard doivent être morts d'inquiétude !

Morts de fatigue, oui... Quand nous arrivâmes au campement, mes chers parents dormaient encore sur leurs deux oreilles, et, même, ils ronflaient comme des chaudières !

– Debout là-dedaaaaans ! Debout les fainéants ! hurlâmes-nous en chœur.

Pas de réponse.

– J'ai découvert la Huitième Merveille ! hurla Benjamin.

Les deux dormeurs se réveillèrent d'un coup.

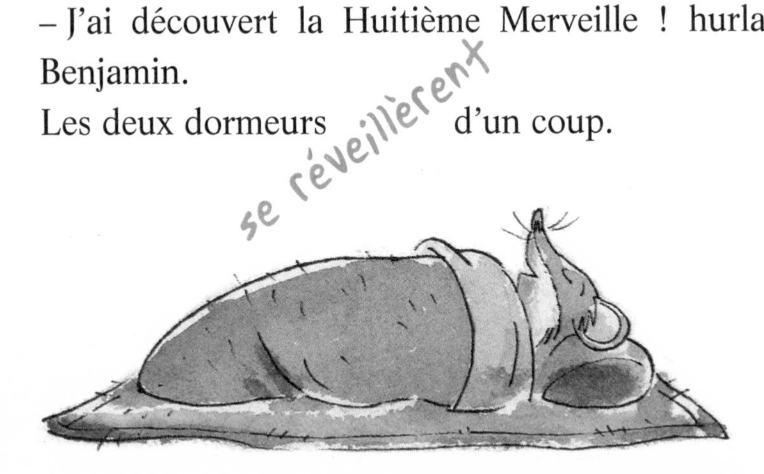

DES CENTAINES, DES MILLIERS, DES MILLIONS DE PAPILLONS

Benjamin commença le récit de son aventure :
– La vallée des Fromages volants existe vraiment ! Je me suis donc faufilé par l'ouverture creusée dans la roche, j'ai suivi le papillon jusqu'à ce que nous débouchions à l'air libre, au sommet d'une montagne. Une lumière jaune, très vive, m'a ébloui. Puis j'ai vu la vallée : elle s'étendait à mes pieds, vraie, réelle, elle existait pour de bon ! Tout, des branches des arbres aux parois rocheuses, était recouvert de papillons jaunes : on aurait dit un immense paysage de fromage…

Des centaines, des milliers, des millions de papillons se sont envolés en même temps.

» Le vent qu'ils ont produit avec leurs ailes était

Des millions de papillons se sont envolés…

comme une brise légère qui m'a apporté un irrésistible parfum de fromage. J'en étais tout étourdi, et ma queue se tortillait d'émotion : c'était un spectacle merveilleux !

Une volée de papillons s'est élevée vers la montagne. Ils se sont posés partout, même sur moi.

» C'était trop drôle, j'ai pris une photo de moi avec le déclencheur automatique ! J'aurais voulu descendre au fond de la vallée, mais les parois étaient trop raides. J'ai pris plein de photos d'en haut. Vous verrez comme c'est beau, comme c'est magnifique…

Téa était surexcitée.

– Ce coup-ci, on va devenir célèbre, je vais écrire un de ces articles… Les rongeurs s'arracheront les exemplaires du journal !

Traquenard murmura :

– OK, mon neveu, dis-moi où ça se trouve, on va y retourner tous ensemble. J'aimerais bien en capturer quelques-uns de ces papillons.

– Il disait cela avec, dans les yeux, un scintillement que je connaissais bien : on pourrait en rapporter une bonne douzaine et, en les ÉPINGLANT dans un cadre…
J'étais horrifié.
– Traquenard ! Tu n'y penses pas !
Mon cousin insistait, d'un ton cajoleur :
– Mais je pensais à un très beau cadre, tu sais.

Tout en or massif, avec une belle étiquette où l'on écrirait le nom du papillon en lettres majuscules…

– Tu n'as pas intérêt ! le menaçai-je. De toute façon, nous ne pourrons pas y retourner. Le papillon nous a conduits là-bas, mais il faisait nuit et nous sommes incapables de retrouver le chemin. En plus, un éboulement a bouché à jamais l'entrée de la vallée…

C'est alors que Téa cria :

– Geronimo a raison ! Les photos suffiront à prouver que nous avons découvert la vallée des Fromages volants ! QUEL BEAU COUP, LES ENFANTS, QUEL BEAU COUP…

Elle prit l'appareil photo et les rouleaux de pellicules que lui tendait Benjamin, les enferma soigneusement dans un sac plastique imperméable.

– Ces PELLICULES sont précieuses, elles sont la preuve que nous avons vraiment découvert la Huitième Merveille.

Traquenard s'empara du sachet.
– Hop, c'est moi qui m'en charge, cousinette ! On peut rentrer maintenant !

Le retour fut long et pénible.

Nous empruntâmes tous les moyens de transport possibles et imaginables que nous avions pris à l'aller (hors-bord, jeep, avion, et cetera). Une seule pensée me donnait la force de tenir : c'était l'image de Provolinda, mon ADORÉE, ma DOUCE Provolinda...
Après une telle aventure, elle ne me résisterait plus...
« Oui, je vais être accueilli comme un héros ! Quand elle verra qu'on m'interviewe à la télévision, elle se jettera à mes pieds ! » pensai-je. J'étais sur un petit nuage.

… elle enferma soigneusement les pellicules dans un sac plastique…

Tu plaisantes, j'espère

Nous ne perdîmes pas une seconde : dès notre descente de l'avion, nous courûmes au bureau. Nous étions pressés d'apprendre la nouvelle aux journaux, aux télévisions…

Téa était pendue au téléphone.

– … oui, oui, **mon chou**, c'est comme je te le dis… J'ai déjà rédigé l'article, oui, je l'ai, là, sur une disquette. Mais oui, un tas de photos, elles sont toutes extraordinaires… Tu vas voir, on va en passer au JT, ce soir, une exclusivité de *l'Écho du rongeur*. Voilà, la fameuse

vallée des Fromages volants, qui sont des papillons jaunes avec des trous comme un morceau de gruyère… Oui, mon frère a été héroïque. Hé hé hééé, bien sûr, tous les clichés sont ici, en sécurité, dans mon bureau, ou plutôt entre les mains de mon cousin Traquenard… – et, d'un air triomphant, elle fit un clin d'œil à mon cousin.

Je vis celui-ci BLÊMIR.

Puis je le vis s'appuyer, d'une patte tremblante, au dossier d'une chaise. Il s'y laissa tomber… Il s'épongea le front, où perlaient des gouttes de sueur.

Que se passait-il ?

Ma sœur raccrocha.

Elle tendit la patte à Traquenard.

– Bon, Trac, donne-moi le sac des photos !

Mon cousin répondit par un SOURIRE TREMBLANT.

– Eh bien… je crois… peut-être… euh, que je ne l'ai pas…

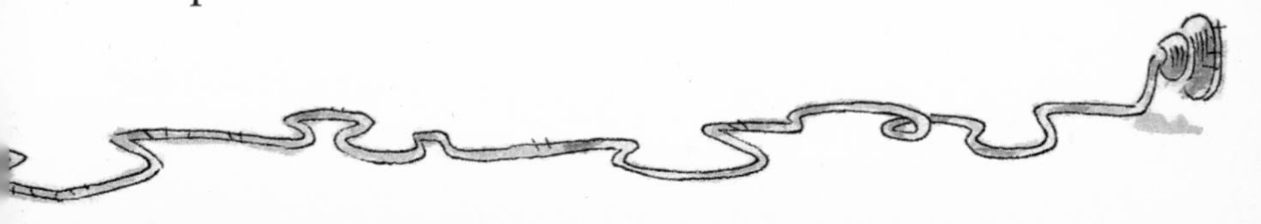

Ma sœur écarquilla les yeux, et ses moustaches commencèrent à frémir.

– QUOIIII ? TU PLAISANTES, J'ESPÈRE !

Traquenard essaya un autre petit sourire.
– Euh… je crois que je les ai oubliées quelque part, je ne sais pas, au campement, peut-être, ou sur la plage… Non, peut-être dans le hors-bord, le vent les aura emportées. Ou dans la jeep… avec tous ces cahots sur la route ! Ou dans l'avion…
Téa voulut lui sauter dessus pour l'étrangler, mais il fut plus rapide et se réfugia derrière le bureau, elle le suivit, dans une ronde frénétique.
– Espèce de rat d'égout, souris de laboratoire, tête de reblochon, rien qu'à la pensée que tu nous a ruinés, j'ai les moustaches qui se tortillent, si je t'attrape, je t'empaille !
J'essayai de les calmer.

– Doucement, il ne s'est rien passé, enfin, presque rien…

Téa interrompit la RONDE pour s'élancer à ma poursuite, brandissant l'appareil photo comme une massue.

– Il ne s'est rien passé ? Et comment va-t-on prouver qu'on a découvert la vallée des Fromages volants ?
Benjamin s'écria :
– Arrête, tata !
Et il SOULEVA sa casquette rouge.
Un petit papillon jaune s'en échappa, qui se posa sur son épaule.
– Il a dû se cacher sous ma casquette quand nous étions dans le passage obscur, c'est pour ça que je ne m'en suis pas aperçu. Peut-être m'a-t-il suivi parce qu'il m'a trouvé gentil. Il est mignon, hein ? Je vais l'appeler Fromageon !

Le papillon voleta gracieusement autour de Benjamin.

Puis il se posa de nouveau sur son épaule.
Je l'observai, fasciné et murmurai :

– *Casea Benjamini* : voilà le nom savant de cette nouvelle espèce !
Téa s'écria :
– Nous tenons la preuve que nous avons découvert la vallée des Fromages volants ! Tant pis si on n'a pas les photos !

À LA QUEUE, COMME TOUT LE MONDE !

– Allô, je parle bien avec Geronimo Stilton ? Le **héros** national ? Le célèbre éditeur ? Celui du papillon Fromageon, la Huitième Merveille ?
Je m'éclaircis la voix.
– Mais oui, c'est bien moi. Je suis Geronimo Stilton, en effet…
– Pourrais-je vous interviewer ? Pour le journal

du soir sur TELE SOURISIA. Je voudrais connaître votre avis sur un peu tout, de l'augmentation du prix du camembert au nom de votre candidat favori pour la prochaine élection présidentielle… Au fait, quel est votre signe astrologique ? Vous savez, les téléspectateurs sont friands de ce genre de détail sur la vie de nos héros nationaux… Ah, et puis une question encore… êtes-vous marié ? Vous savez, nos téléspectatrices se pâment pour les héros célibataires… Saviez-vous que vous plaisiez beaucoup au public féminin ?

J'acquiesçai :

– Je sais, on m'a déjà proposé de poser nu, mais j'ai refusé. Écoutez, je suis désolé, faites la queue,

comme tout le monde, vous êtes si nombreux à vouloir m'interviewer, mais nous sommes très, trèèès occupés. Figurez-vous que mon agenda est bourré de rendez-vous jusqu'à Pâques… Pâques de l'année prochaine, bien sûr…

Dans la pièce d'à côté, ma sœur et Traquenard étaient, comme moi, pendus au téléphone.
Sourisette entra en courant.
– Monsieur, monsieur, les téléphones sont hors service, le standard a explosé, la standardiste a démissionné, elle n'arrivait plus à répondre à tous les appels ! La salle du fax est bourrée de feuilles de papier, on ne peut même plus y entrer. Les ordinateurs débordent d'e-mails. Savez-vous qu'il existe déjà un site web « **GERONIMO STILTON FAN CLUB** » ? Et on y trouve de tout, vraiment de tout… Il y a même une biographie de vous, complètement fausse à mon avis, ils racontent que, quand vous étiez petit…
C'est alors qu'on entendit un grondement. Sourisette poussa un hurlement :
– Vos admiratrices viennent d'abattre la porte d'entrée. Elles vont faire irruption dans la salle

de rédaction ! Mais ne vous inquiétez pas, monsieur, je vais vous défendre avec les lances d'incendie ! – et elle sortit d'un pas décidé.
Je secouai la tête et regardai par la fenêtre. Dans le ciel passait un avion tirant une banderole :
I LOVE GERONIMO STILTON !!!
Au même instant, mon cousin Traquenard entra dans la pièce.
Il me fit un clin d'œil.
– Salut, Geronimo, j'ai une petite surprise pour toi, là, derrière la porte. Tu sais que tu es un veinard, toi !
Je le regardai, très **INQUIET**.

– Ne la fais pas entrer ! C’est encore une de mes admiratrices.

Il secoua la tête, d’un air rusé.

– Eh non, ce n’est pas n’importe qui ! Allez, ouvre cette porte ! Ah, la voyante avait raison !

Je répliquai, soupçonneux :

– Ah ? Comment sais-tu ce que m’a dit la voyante ?

QUAND C'EST NON, C'EST NON !

J'ouvris la porte... Un intense parfum de rose m'étourdit.

Assise sur une chaise, dans la salle d'attente, je vis une souris portant une robe rouge moulante à couper le souffle. Provolinda !

Elle s'approcha de moi et me susurra mielleusement à l'oreille :

– *Oh, mon cher Geronimo, j'ai tellement attendu ton retour... Merci, merci pour les roses et les chocolats ! Quelles délicates attentions...*

Je murmurai, distrait :

– Ah ? Des roses ? Des chocolats ? Ah oui, je me souviens...

Elle reprit, cajoleuse :

– Mon héros, raconte-moi cette expédition. Je veux tout savoir, je veux connaître le moindre détail !

Je marmonnai :

– Eh bien, nous sommes partis, nous sommes revenus, c'est trois fois rien, quoi...

Provolinda, surprise de me voir aussi indifférent, s'écria :

– Mais enfin, Geronimo, je ne te plais plus ? Ton cœur ne bat plus la chamade, tu n'as plus les pattes moites, ta langue ne fait plus des nœuds quand tu me vois ?

– Eh bien, à vrai dire, non.

– Pas même un petit peu ?

– Eh non ! Quand c'est NON, c'est NON !

Provolinda pâlit. Puis elle décida d'abattre sa dernière carte.

– Tu sais, je suis invitée ce soir à un petit dîner intime chez le maire. J'aimerais bien être accompagnée d'une souris aussi prestigieuse que toi. Tu veux bien venir ?

Je répondis, ennuyé :

– Non, merci, ce soir, je préfère rester chez moi pour regarder la télévision.

Elle insista, **me supplia**, essaya de me convaincre de toutes les manières possibles.

Mais elle ne m'intéressait plus du tout.

Vous voulez savoir pourquoi ? Parce que c'est comme ça. L'amour est comme ça. Ce n'est pas juste, je sais, mais c'est comme ça. On tombe amoureux, c'est le coup de foudre, et aussi brusquement on cesse de l'être… C'est la vie !

Mais elle ne m'intéressait plus du tout…

Allô ? Gerominou...

En rentrant chez moi, ce soir-là, je poussai un soupir de soulagement.

– ENFIN SEUL ! me dis-je.

Je débranchai mon téléphone (un journal à scandale avait publié mon numéro de téléphone personnel, et mes admiratrices m'appelaient jour et nuit).

Je pris un bon bain chaud, fouillai dans mon réfrigérateur et grignotai une part de tarte au fromage. Je venais de m'installer confortablement dans mon fauteuil quand j'entendis vibrer mon portable. Qui cela pouvait-il bien être ? Seul quelqu'un qui me connaissait bien.

– Allô ? chicotai-je, agacé. Qui c'est, encore ?

– Gerominouuuuuuuu, c'est Téa, ta petite sœur adorée !

– Grounfff, que veux-tu ?

– Gerominou, je voulais t'inviter à la maison ce soir. Tu viens ? OK, je t'attends. À plus !

– Non, non, une minute ! criai-je. Je n'ai pas envie de sortir !

Trop tard, elle avait raccroché. Je me traînai paresseusement jusque chez elle (Téa habite l'étage au-dessous).

Sur le palier, devant la porte, j'entendis des bruits bizarres : des petits cris, des petits rires excités…

Quelqu'un murmura :

– Chuuuut !

Puis un silence de mort.

J'ouvris la porte, craintif, mais restai sur le seuil.

– Y'a quelqu'un ? chuchotai-je, méfiant.

SURPRISE ! SURPRISE !

38

Les lumières s'allumèrent brusquement, et ma sœur cria :

– Le voilà, c'est lui, c'est mon frère, c'est Geronimo Stilton !

Trente-huit petites souris s'écrièrent en chœur :

– Geronimo ! Geronimo Stilton ! Ouiiiiii !

Je crus que j'allais m'évanouir.

J'essayai de m'échapper, mais Téa m'attrapa par un bras.

– Geronimo ! couina-t-elle, impérieuse. Assieds-toi ici, à la place d'honneur. Mes amies veulent t'entendre raconter ton expédition. Ne me fais pas passer pour une idiote, hein ?

– Oui, Geronimo ! Raconte !

– Oh, mon chéri, nous voulons tout savoir !
– Gerominou, tu sais que tu es encore plus beau en vrai qu'en photo ?

– Oui, Geronimo, tu es un héros…

– Tu es notre mythe !

Téa se pavanait, fière comme tout.

– Alors, je ne vous l'avais pas dit ? Je ne vous avais pas promis que je vous l'amènerais ? Eh bien le voilà, rien que pour vous...
Je tentai de m'éclipser en direction de la porte, mais ma sœur me rattrapa.
– Ah non, ne me fais pas passer pour une idiote. Allez, raconte !
Je parvins encore à me dégager et j'allai **M'ENFERMER** dans le débarras, au fond du couloir.
Je me barricadai à l'intérieur, mais j'entendais au-dehors, mêlée aux cris de mes admiratrices, la voix de ma sœur :
– Geronimo ! Sors de là, c'est un ordre !
Je soupirai.

– Ah, l'amour...

… je parvins à me dégager et j'allai m'enfermer dans le débarras…

Table des matières

Un grand cappuccino pour Geronimo 7

L'Écho du rongeur 12

« Imprimeur » aussi, ça rime avec « cœur » 18

Treize douzaines de roses rouges 24

Des chocolats au fromage 27

Un nuage de dentelle 31

Il ne fallait pas être tout le temps sur son dos ! 36

Grounf ! Sgrounfff !! 38

Accroche-toi ! 42

Madame l'Amour 44

On paaart ! 53

Je ne me sens pas bien du tout 57

Voyages sauvages 61

Les dix étapes du mal de mer	64
En route !	69
Ma petite mozzarella…	73
La Huitième Merveille	75
On ne voit pas la pointe de ses moustaches…	77
J'ai peur du noir !	80
Au revoir, papillon !	83
Des centaines, des milliers, des millions de papillons	87
Tu plaisantes, j'espère	94
À la queue, comme tout le monde !	100
Quand c'est non, c'est non !	106
Allô ? Gerominou…	110
Surprise ! Surprise !	113

DANS LA MÊME COLLECTION

1. Le Sourire de Mona Sourisa
2. Le Galion des chats pirates
3. Un sorbet aux mouches pour Monsieur le Comte
4. Le Mystérieux Manuscrit de Nostraratus
5. Un grand cappuccino pour Geronimo
6. Le Fantôme du métro

à paraître

7. Mon nom est Stilton, Geronimo Stilton
8. Le Mystère de l'œil d'émeraude
9. Quatre souris dans la Jungle Noire
10. Bienvenue à Castel Radin !
11. Bas les pattes, tête de reblochon !
12. L'amour, c'est comme le fromage
13. Je tiens à mes poils, moi !
14. Le Mystère de la pyramide de fromage
15. Mais qui a gagné au rataloto ?
16. Le Secret de la famille Ténébrax
17. Joyeux Noël, Stilton !
18. Un week-end absurde pour Geronimo

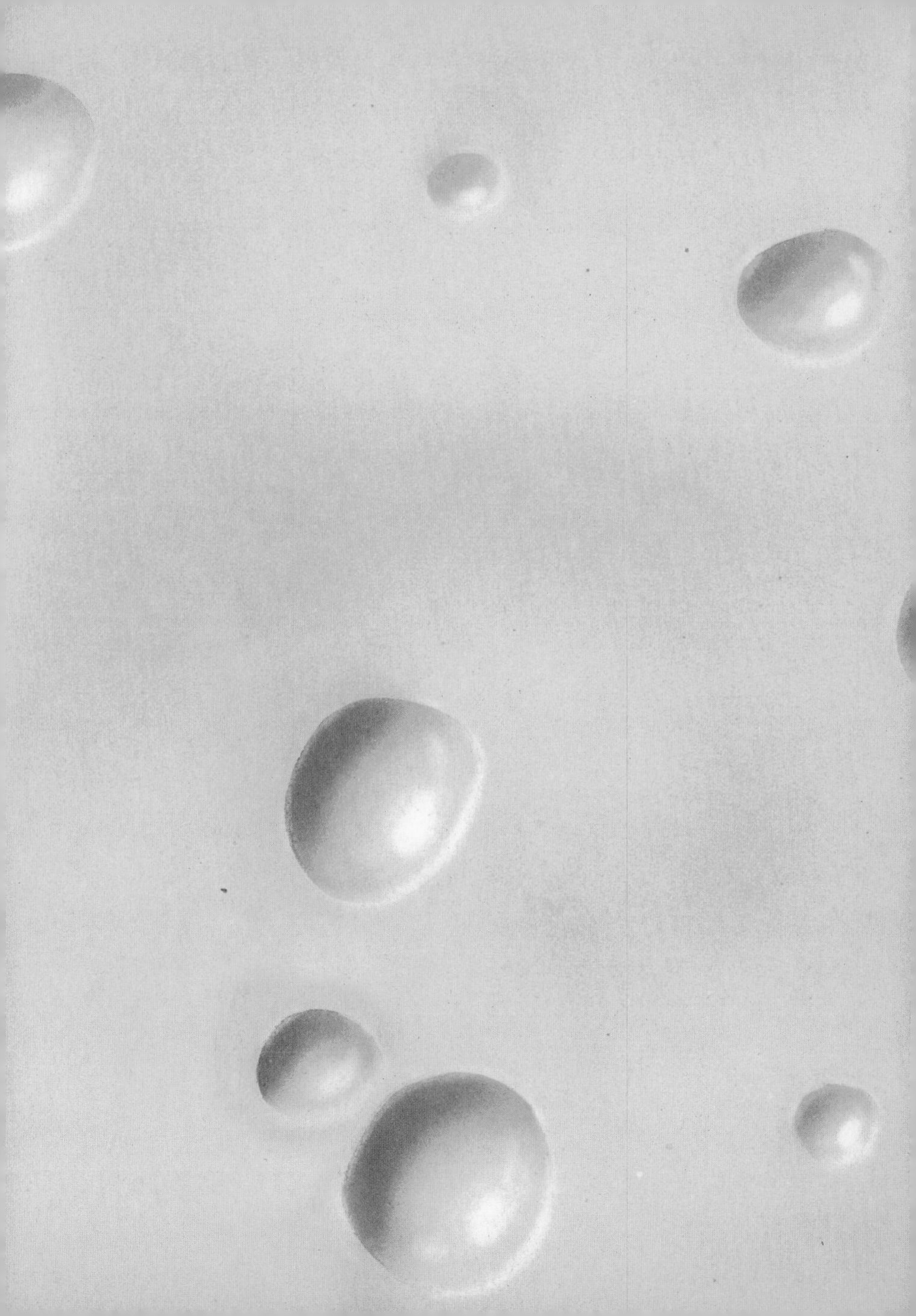

1
2
3
4
8
9
10
11
12
13
18
19
17
15
5
7
28
22
20
26
23
25
27
14
16
21
24
36
40
38
37
29
31
41
32
33
34
6
30
42
39
35
Fleuve Souris
Plage

Sourisia, la ville des Souris

1. Zone industrielle de Sourisia
2. Usine de fromages
3. Aéroport
4. Télévision et radio
5. Marché aux fromages
6. Marché aux poissons
7. Hôtel de ville
8. Château de Snobinailles
9. Sept collines de Sourisia
10. Gare
11. Centre commercial
12. Cinéma
13. Gymnase
14. Salle de concert
15. Place de la Pierre-qui-Chante
16. Théâtre Tortillon
17. Grand Hôtel
18. Hôpital
19. Jardin botanique
20. Bazar des Puces-qui-Boitent
21. Parking
22. Musée d'art moderne
23. Université et bibliothèque
24. La Gazette du rat
25. L'Écho du rongeur
26. Maison de Traquenard
27. Quartier de la mode
28. Restaurant du Fromage d'Or
29. Centre pour la Protection de la mer et de l'environnement
30. Capitainerie du port
31. Stade
32. Terrain de golf
33. Piscine
34. Tennis
35. Parc d'attractions
36. Maison de Geronimo Stilton
37. Quartier des antiquaires
38. Librairie
39. Chantiers navals
40. Maison de Téa
41. Port
42. Phare

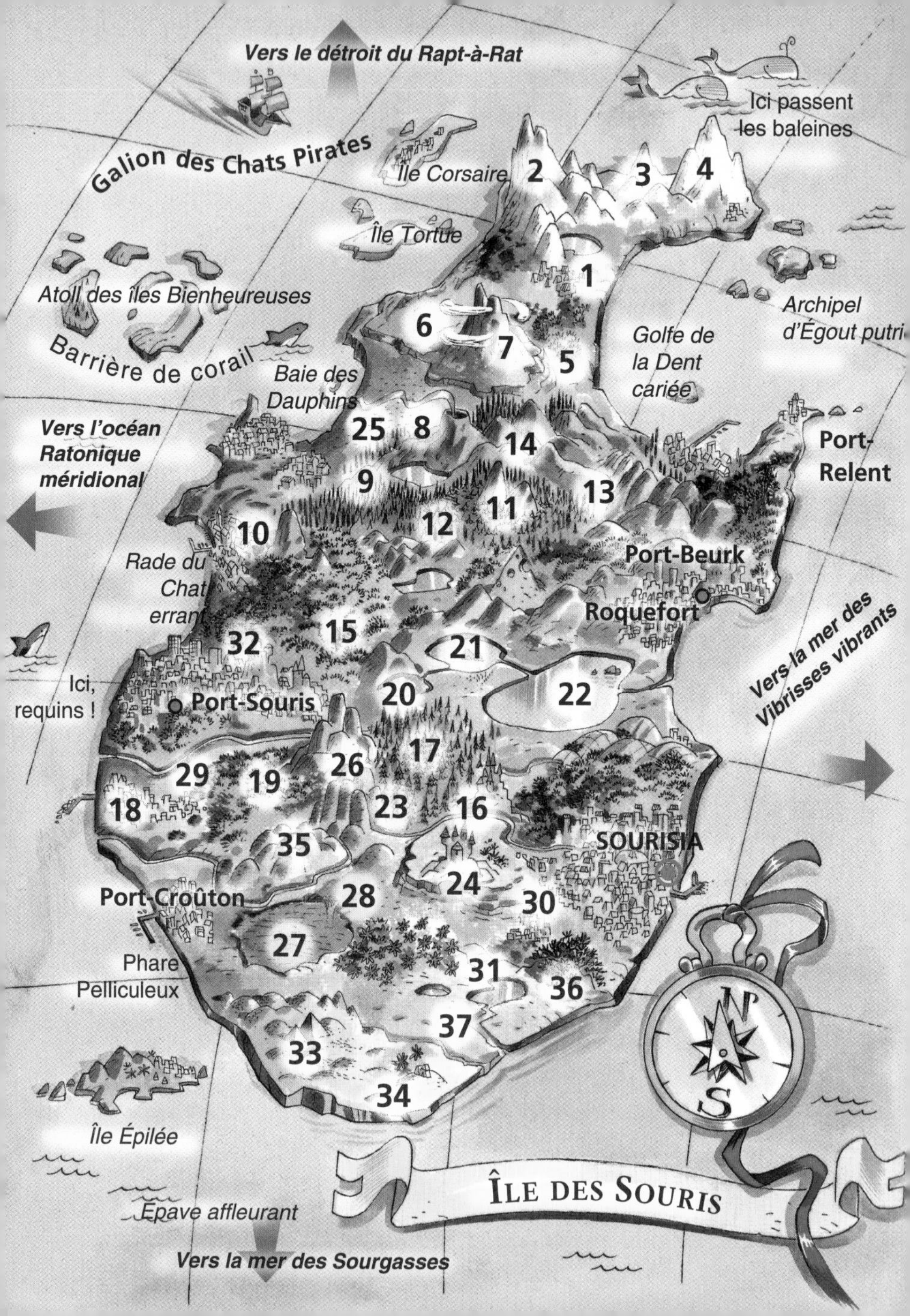
Vers le détroit du Rapt-à-Rat
Galion des Chats Pirates
Île Corsaire
Île Tortue
Ici passent les baleines
Atoll des îles Bienheureuses
Barrière de corail
Baie des Dauphins
Archipel d'Égout putri
Golfe de la Dent cariée
Vers l'océan Ratonique méridional
Port-Relent
Port-Beurk
Roquefort
Rade du Chat errant
Vers la mer des Vibrisses vibrants
Ici, requins !
Port-Souris
SOURISIA
Port-Croûton
Phare Pelliculeux
Île Épilée
Épave affleurant
Vers la mer des Sourgasses
ÎLE DES SOURIS
N
S
1
2
3
4
5
6
7
8
9
10
11
12
13
14
15
16
17
18
19
20
21
22
23
24
25
26
27
28
29
30
31
32
33
34
35
36
37

Île des Souris

1. Grand Lac de glace
2. Pic de la Fourrure gelée
3. Pic du Tienvoiladéglaçons
4. Pic du Chteracontpacequilfaifroid
5. Sourikistan
6. Transourisie
7. Pic du Vampire
8. Volcan Souricifer
9. Lac de Soufre
10. Col du Chat Las
11. Pic du Putois
12. Forêt-Obscure
13. Vallée des Vampires vaniteux
14. Pic du Frisson
15. Col de la Ligne d'Ombre
16. Castel Radin
17. Parc national pour la défense de la nature
18. Las Ratayas Marinas
19. Forêt des Fossiles
20. Lac Lac
21. Lac Lac Lac
22. Lac Laclaclac
23. Roc Beaufort
24. Château de Moustimiaou
25. Vallée des Séquoias géants
26. Fontaine de Fondue
27. Marais sulfureux
28. Geyser
29. Vallée des Rats
30. Vallée Radégoûtante
31. Marais des Moustiques
32. Castel Comté
33. Désert du Souhara
34. Oasis du Chameau crachoteur
35. Pointe Cabochon
36. Jungle-Noire
37. Rio Mosquito

Au revoir, chers amis rongeurs, et à bientôt pour de nouvelles aventures.
Des aventures au poil, parole de Stilton, de…